Randy Johnston

Soul Jazz Guitar

ランディ・ジョンストン

ソウル・ジャズ・ギター

JN121867

ATN, inc.

もくじ

All material transcribed by John Purse

はじめに

Mel Bay社として、*Randy Johnston*のオリジナル曲とソロ・トランスクリプションを発売できることを、とてもうれしく思います。*Randy*は、すばらしいライン、卓越したフィーリング、優れたテクニックで知られています。

我々は*Randy*に、スタンダード・ジャズで用いられるコード進行上でインプロヴァイズしたソロをまとめてレコーディングしてくれるよう依頼しました。そのうえ、いわゆるジャズの言語を利用すること、すばらしいフィーリングを示すことに加え、学習者にとって十分弾ける範囲のものという注文も出しました。

採譜されたソロを学ぶという作業は、多くの場合、実際に演奏されたソロのレベルが高すぎるため、学習者の気力がくじかれてしまうということも少なくありません。

*Randy*には、状況に応じて発揮される凄まじいスピードとテクニックがありますが、このレコーディングでは学習者のことを第一に考えており、たとえいくらか困難を伴うものであっても、弾きこなすことはゴールとして可能な範囲でしょう。

本書に収められたソロを使って、いくつかの利用方法があります。まずはじめは、各ソロのフレーズを1音ずつ学び、CDに合わせて演奏することでジャズのフレージングやアーティキュレイション、フィーリングを理解する方法です。

次に、コード・チェンジに対してメロディックなマテリアルがどのように当てはめられているかを分析することです。ジャズ言語の要素として重要なアプローチ・ノート、テンション&リリース(緊張と緩和)の使い方、アルペジオ、ユニークなリズム、スペースの使い方などにも注目しましょう。とりわけスペース(休符や間)は重要で、ギタリストもホーン・プレイヤーのように、ソロの最中にブレスをする必要があります。これらを認識することは、あなた自身のソロにこれらの要素を取り入れる手助けとなるでしょう。

最後に、ソロの中から気に入ったライン(リック)を抜粋し、それらを12のキーに移調して学び、さらにフィンガーボードのあらゆるポジションや弦で弾けるようにすることです。この練習はヴォキャブラリーを増やすための優れた方法です。覚えたラインはこれと同じコード・チェンジ(II-Vやターンアラウンドなど)をもつ曲に応用してみましょう。何より大切なことは本書を楽しんで学ぶことです。

編集主幹　*Corey Christiansen*

ソウル・ジャズ・ギターについて

本書 Soul Jazz Guitarは、*Grant Green*、*Pat Martino*、*Wes Montgomery*などに代表される**ハモンド・オルガンとギター**の組み合わせによるサウンドを楽しみながら、**ソウルフルなジャズ・ギター**を学べる、CD付きのソロ・トランスクリプションです。

*Randy*は上記以外にも、*George Benson*、*Jimmy Raney*、*Kenny Burrell*などにも影響を受けた、ブルースとビバップをバックボーンにもつギタリストで、これまでに9枚のリーダー作と1枚の*ライヴDVDを発表しています。

本書に収録された12曲はすべて(うち3曲はRandyのオリジナル)、スタンダード・ジャズと呼ばれる有名曲を基にしており、それぞれのタイトルはオリジナルを若干変化させただけなので、原曲名は容易に想像できるでしょう。"Down Time" "The Philadelphians" "Rolling at the Summit"の3曲は、彼のリーダーCDにも収録されているオリジナル曲ですが、本書のために新たに録音しなおしたヴァージョンが収録されていますのでファンは必聴です。

本書の特徴をまとめると、

- ●ジャム・セッションでも頻繁に取り上げられるような曲を基にインプロヴァイズされている(もくじ参照)
- ●同じようなビバップ言語をくり返し使っているので、勉強しやすい
- ●ジャズ・ギターの雰囲気が十分に感じられ、初心者はリスニングの教材としても活用できる

以上の点から、ジャズ初心者から中級者にとって、ジャズのフィーリングと言語を学ぶためにとても役に立つ1冊といえるでしょう。

日本語版監修者　石井　貴之

＊"Randy Johnston Live"- *Randy Johnston*; Mel Bay 21188

It Couldn't Happen to Me

 Track 1

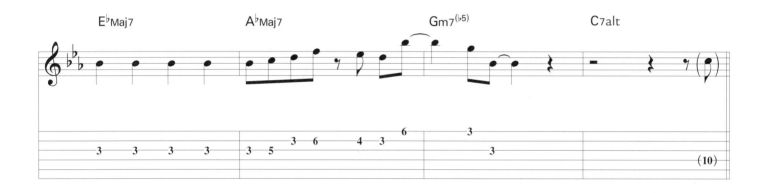

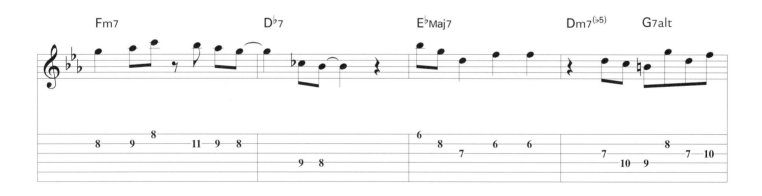

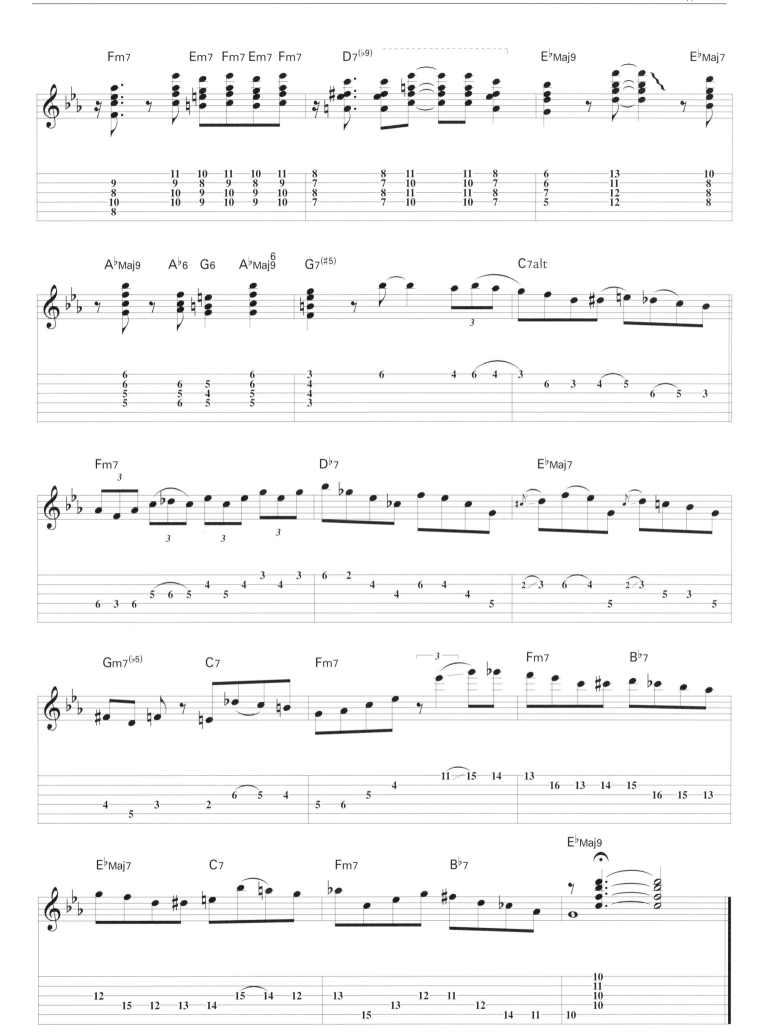

Killer Jane

Track 2

Swing

♩ = 100

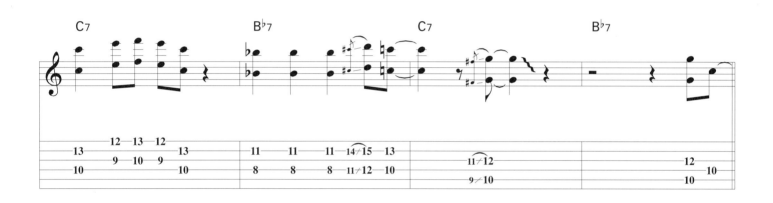

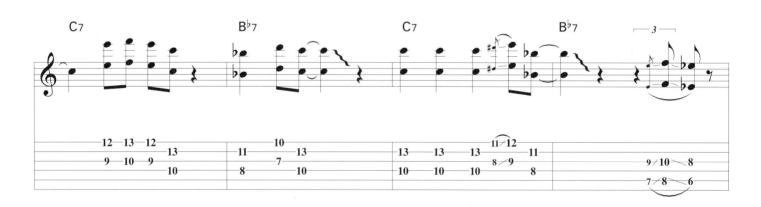

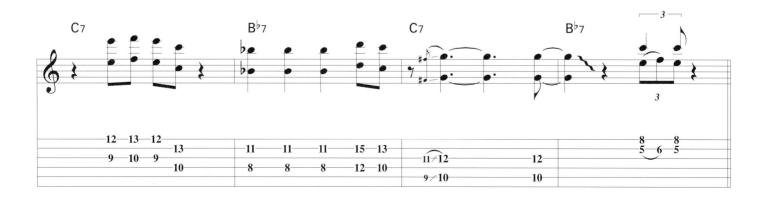

Medium Tempo Blues

 Track 3

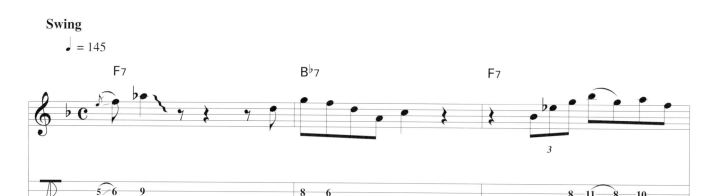

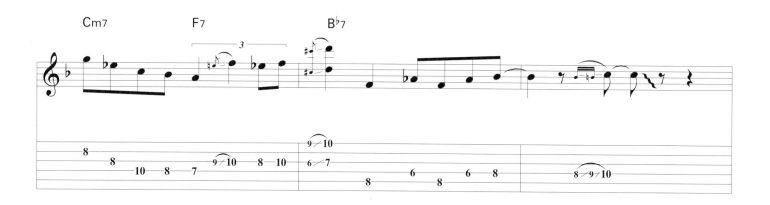

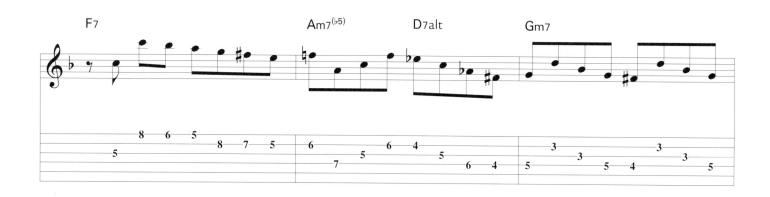

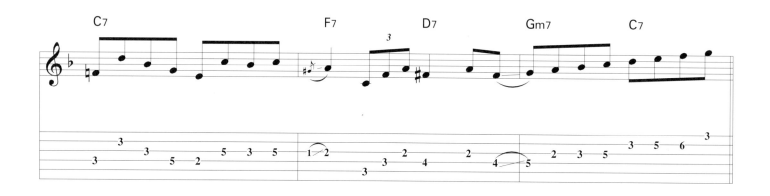

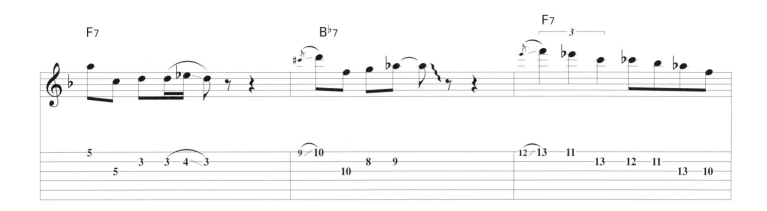

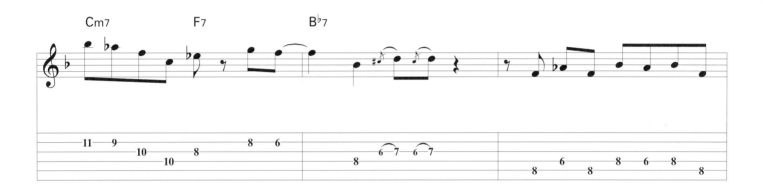

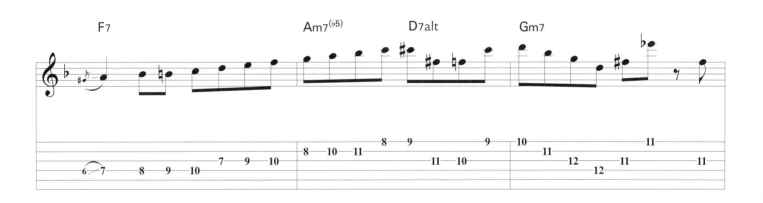

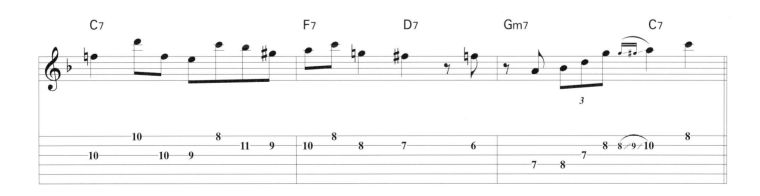

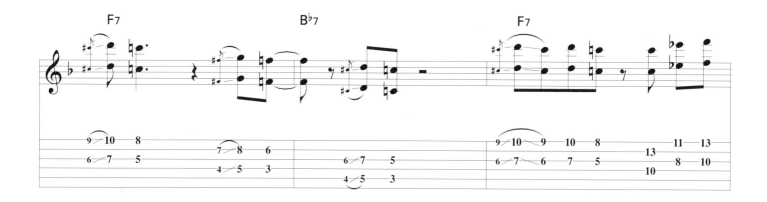

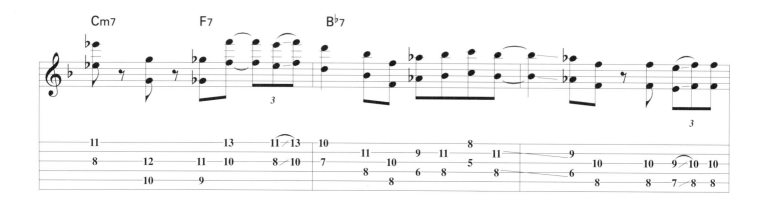

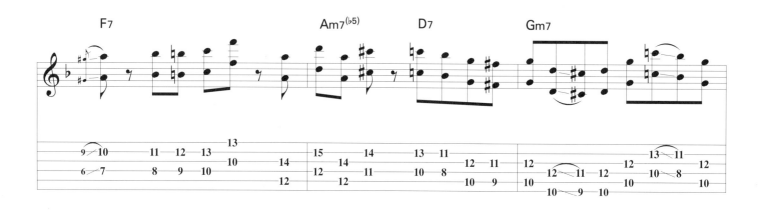

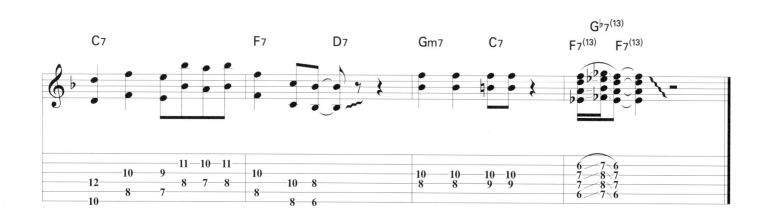

Minor Blues

 Track 4

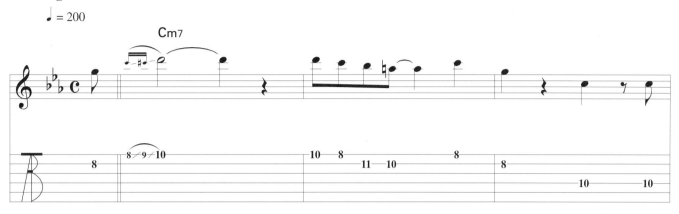

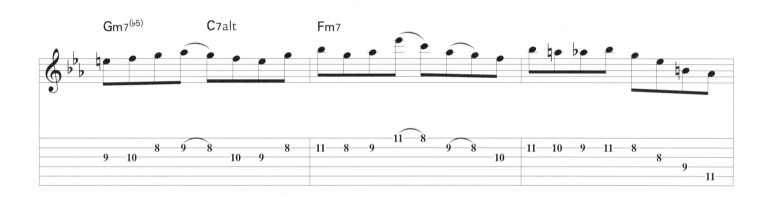

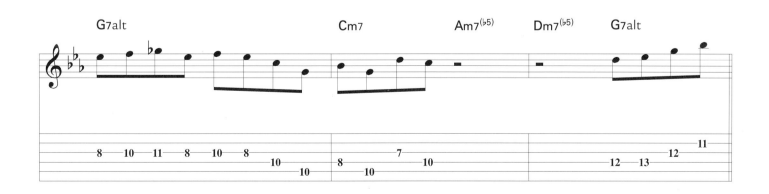

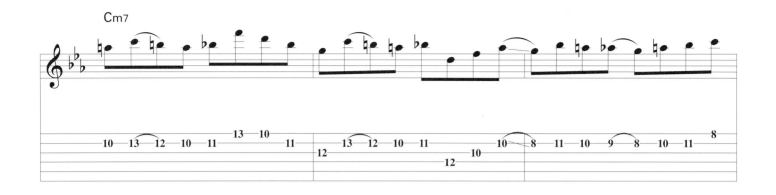

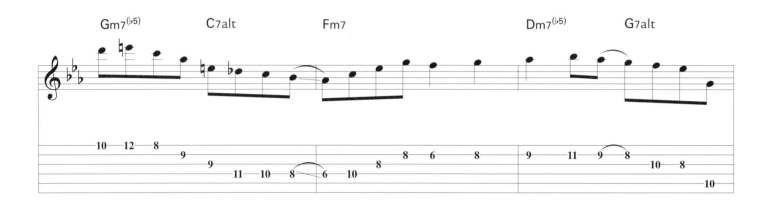

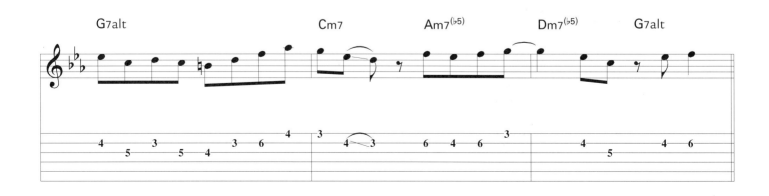

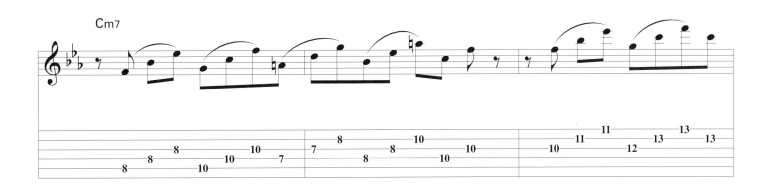

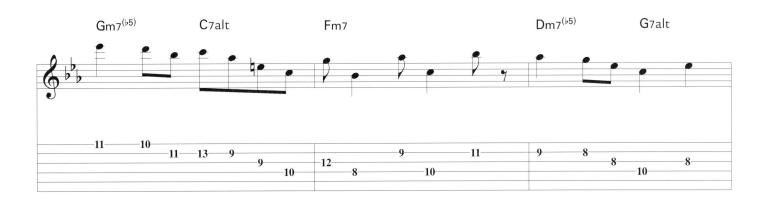

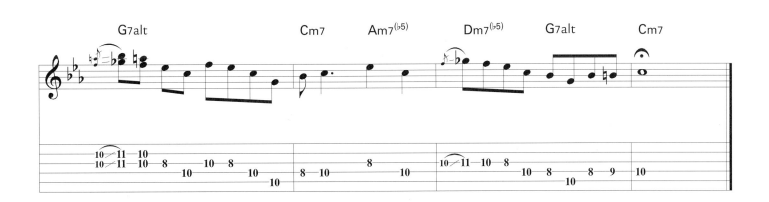

The Philadelphians

 Track 5

Swing

$\quad \bullet = 210$

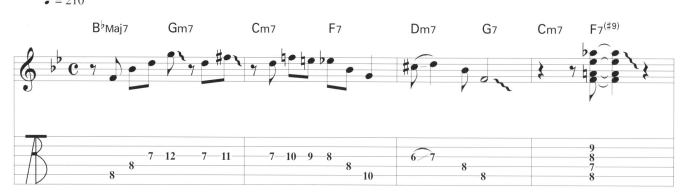

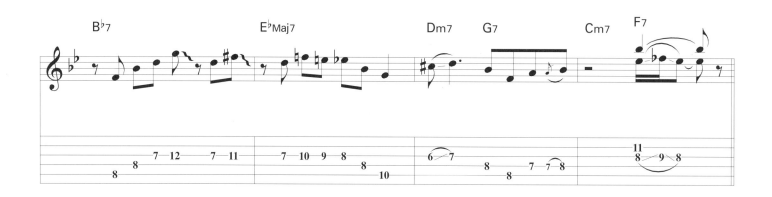

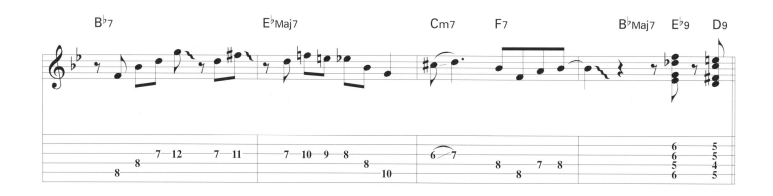

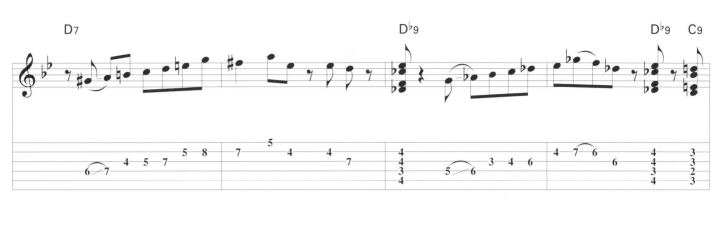

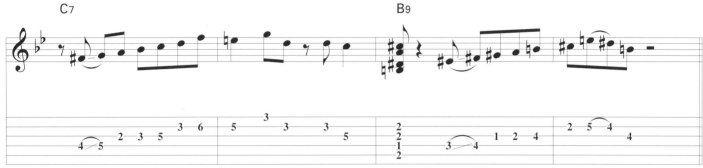

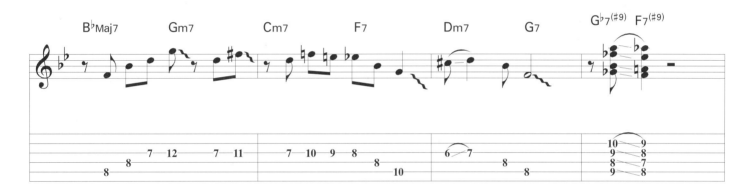

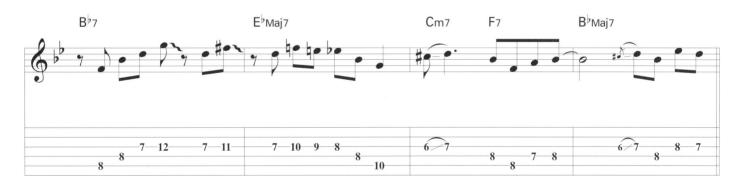

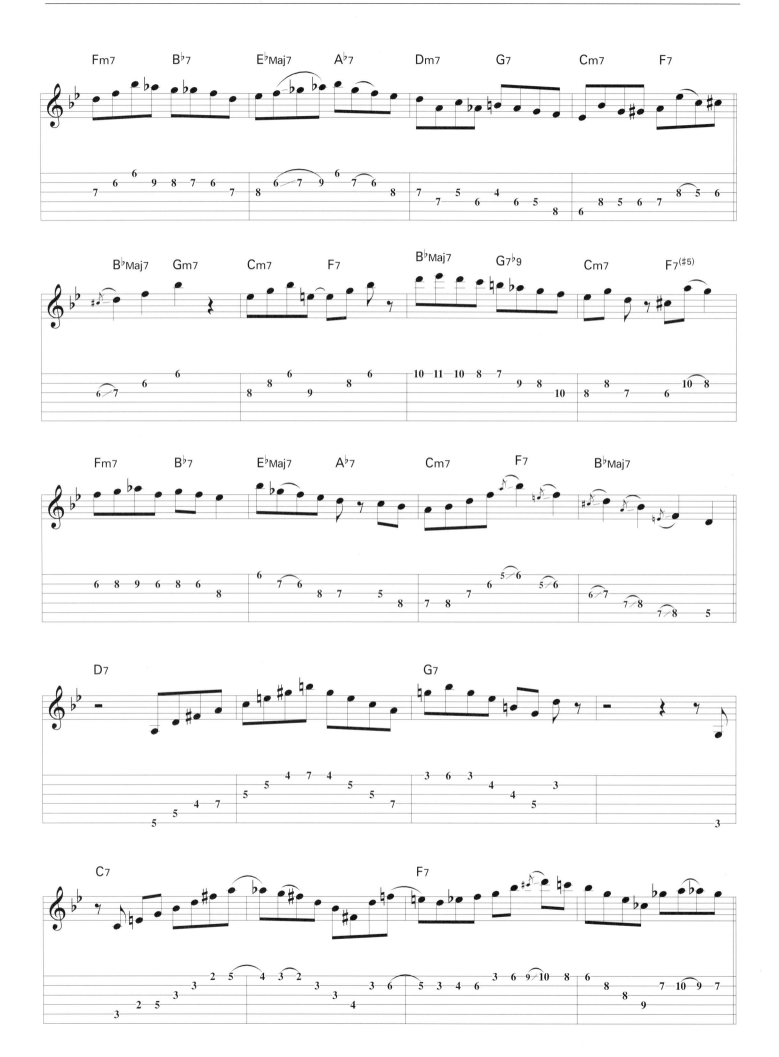

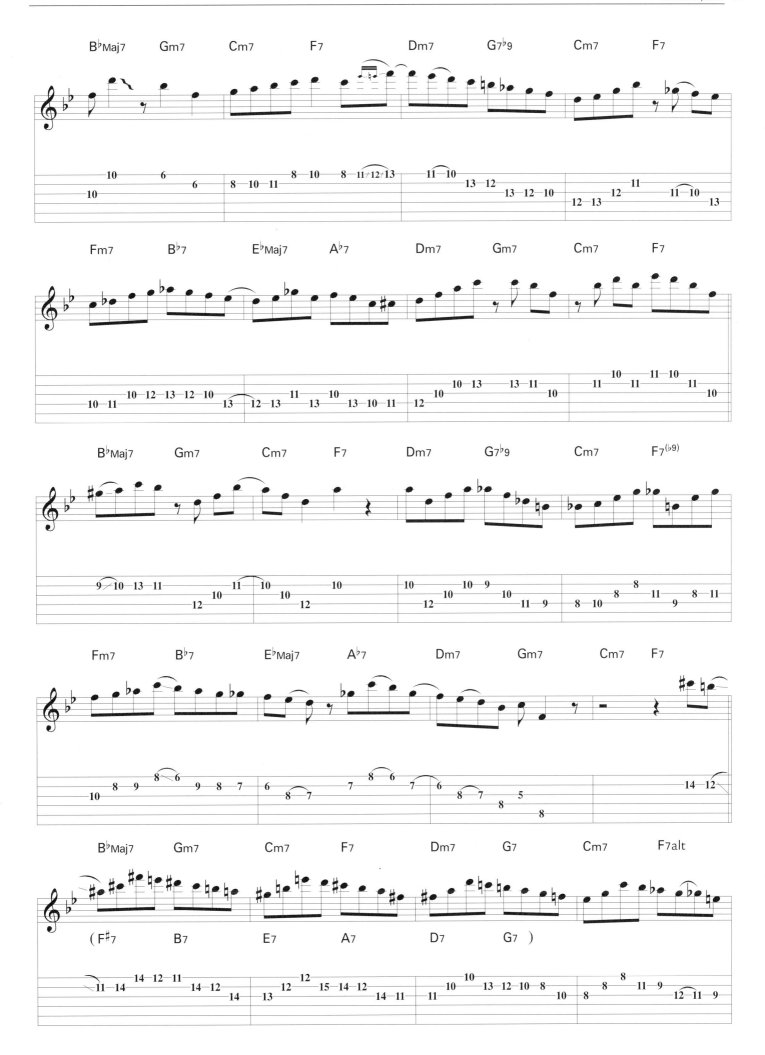

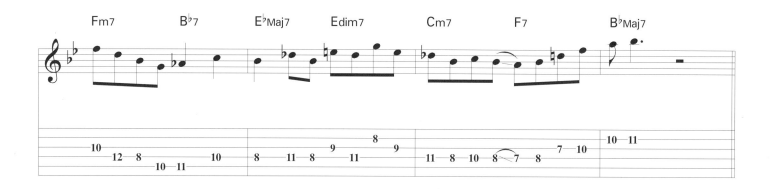

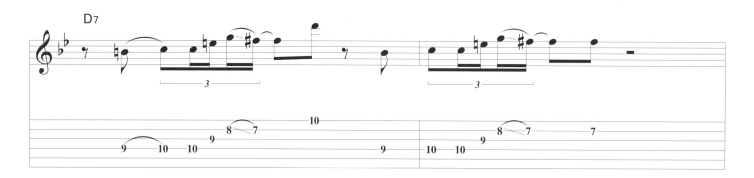

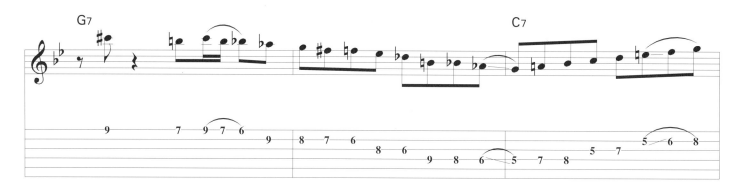

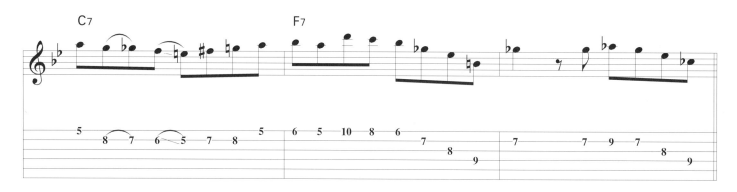

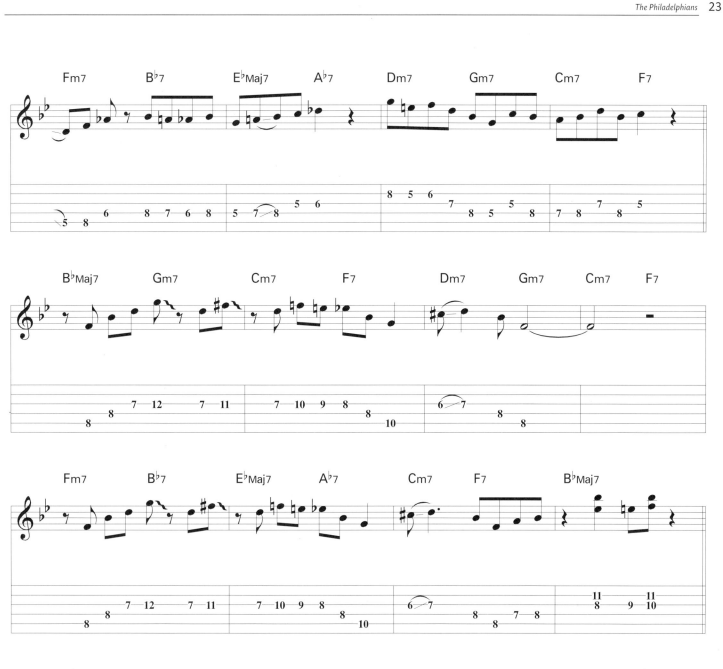

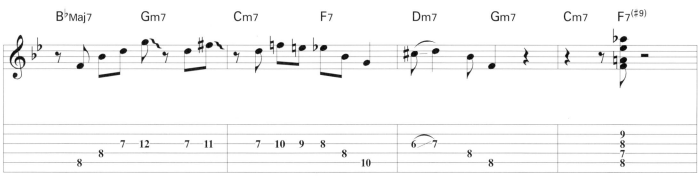

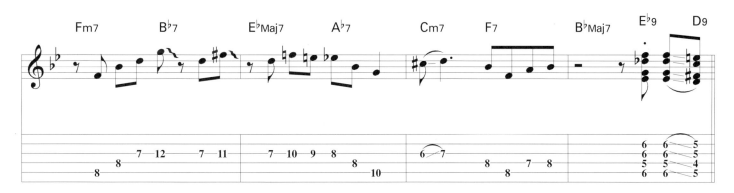

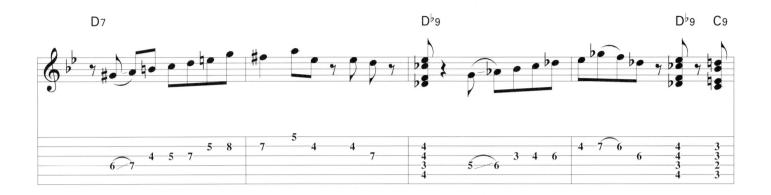

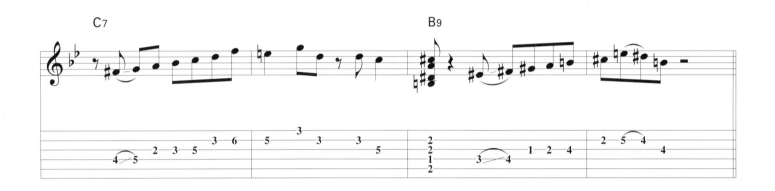

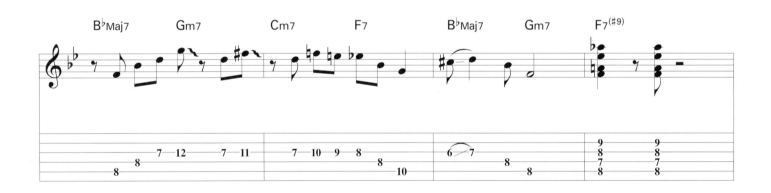

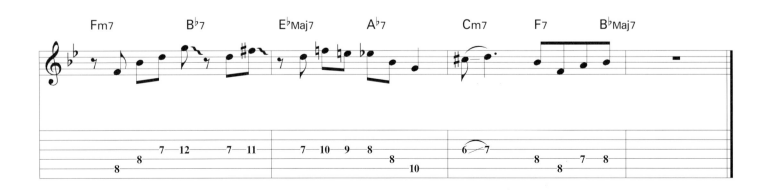

Polkadots

Ballad

$\quad$ = 125

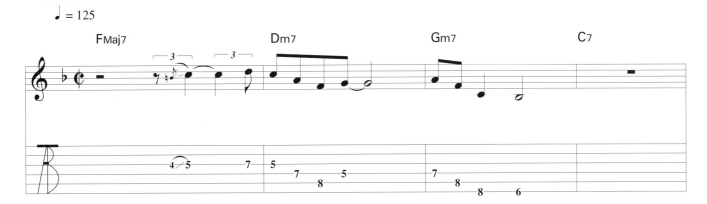

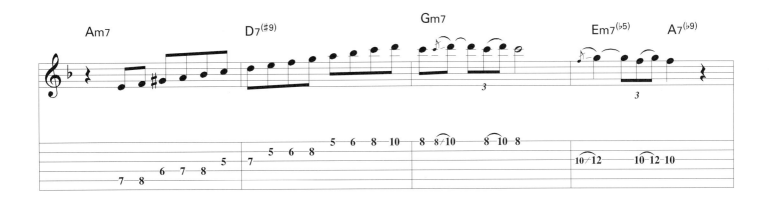

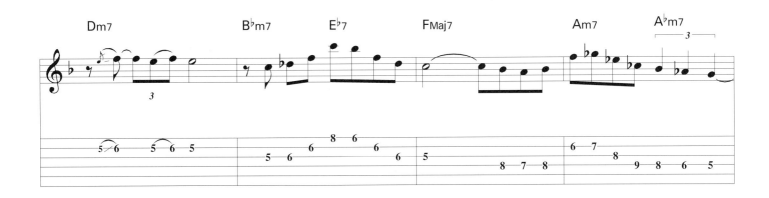

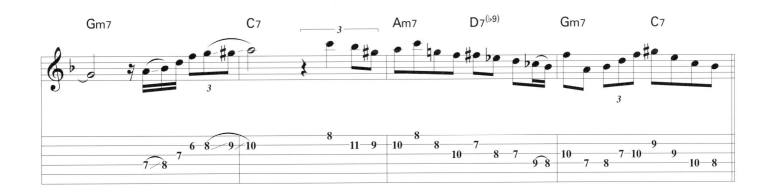

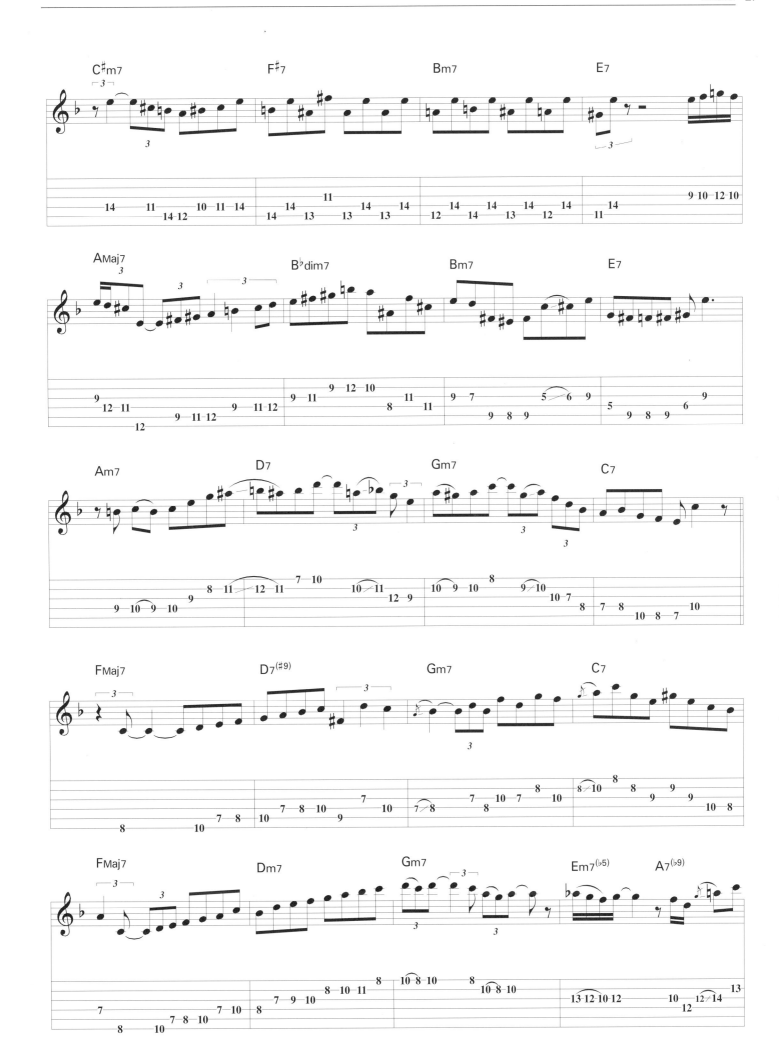

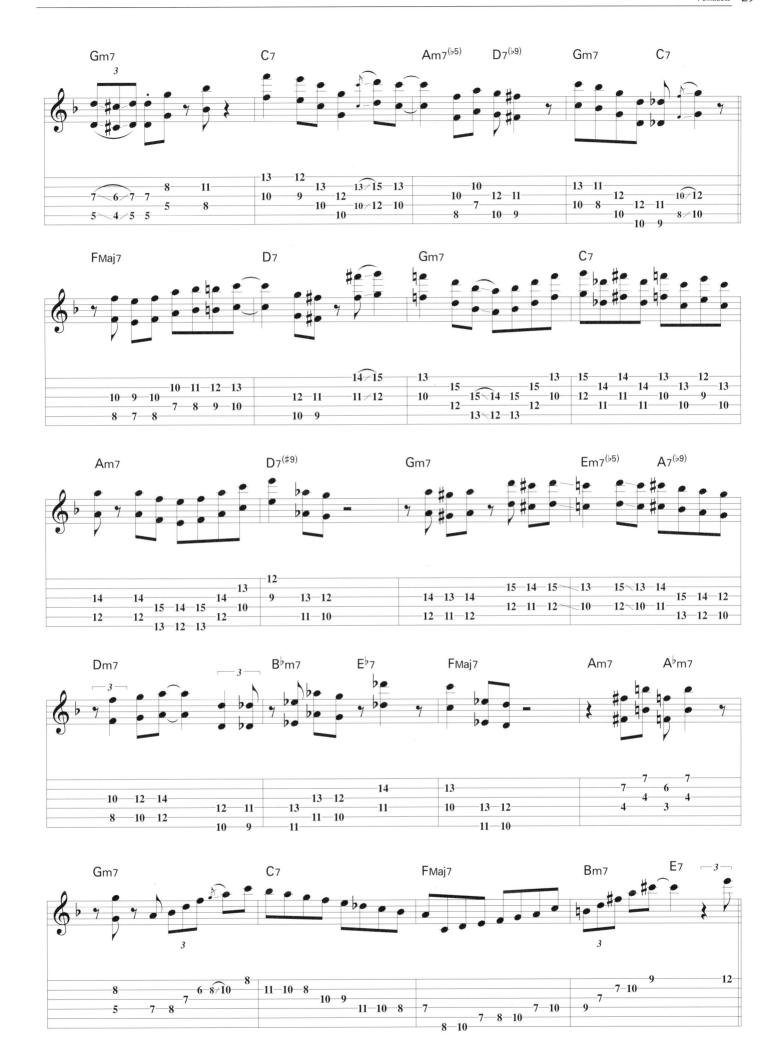

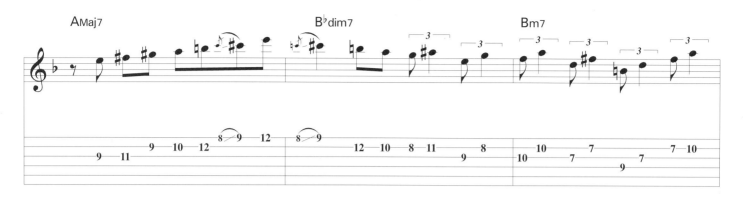

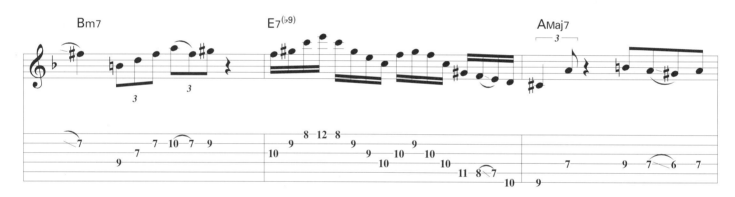

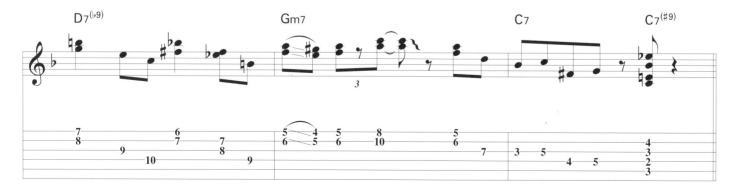

Rolling at the Summit

 Track 7

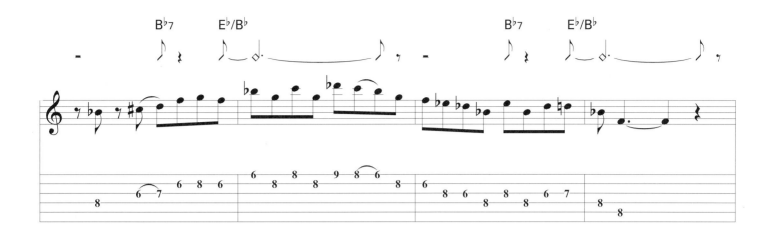

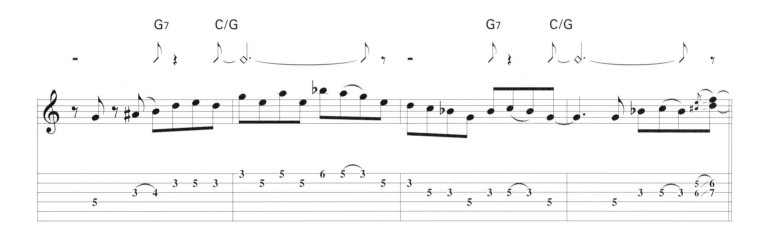

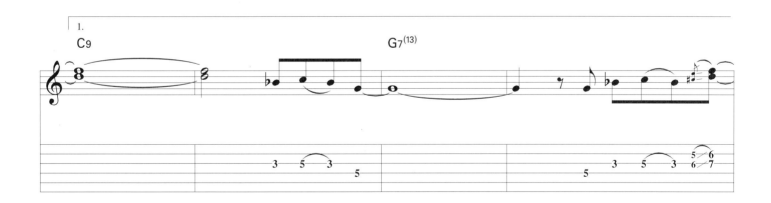

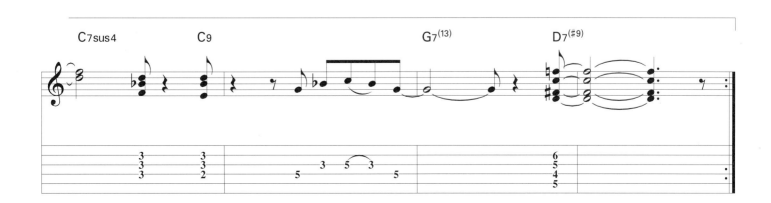

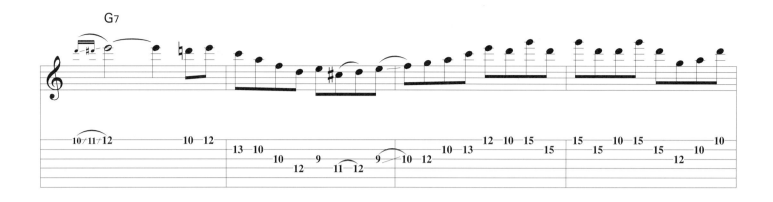

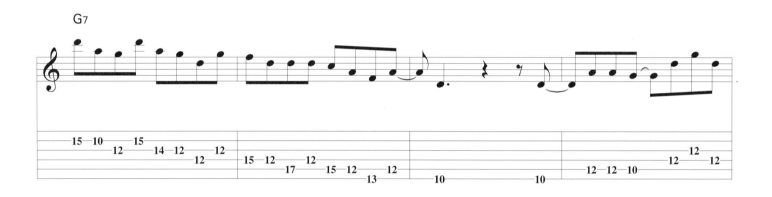

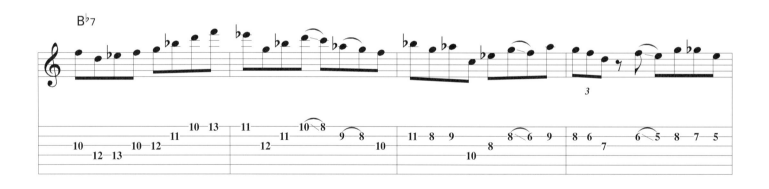

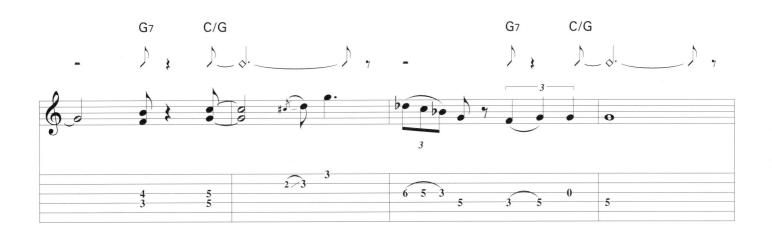

Slow Blues

 Track 8

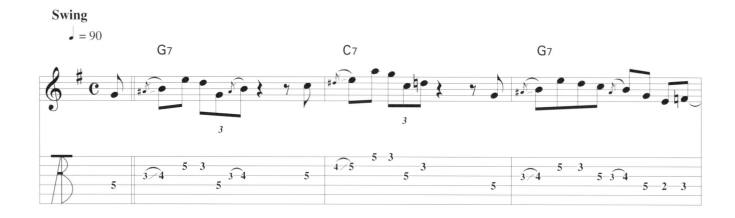

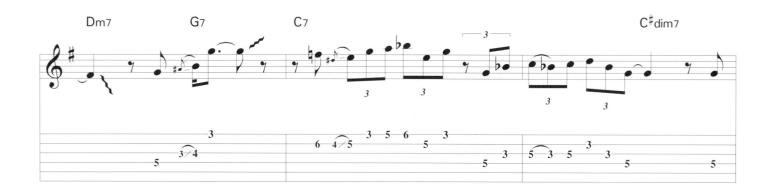

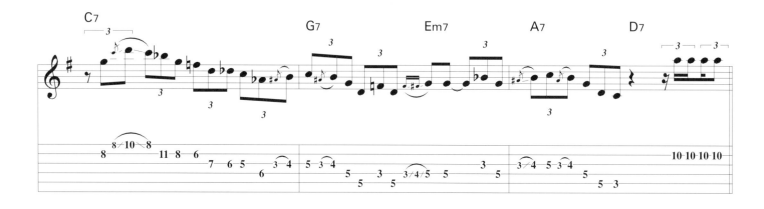

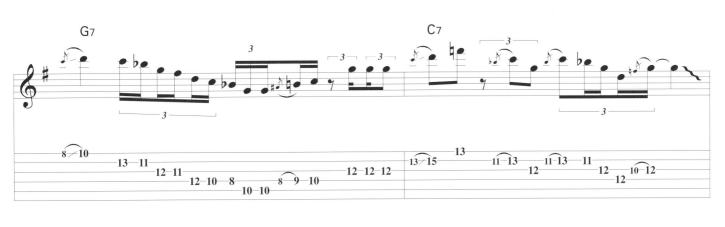

Soul Air

 Track 9

Swing

♩ = 190

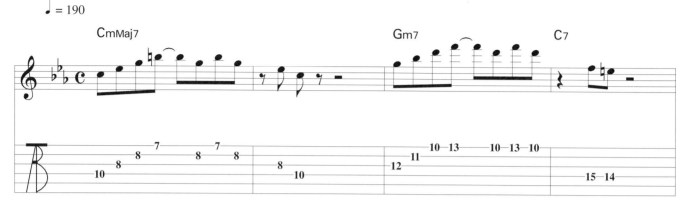

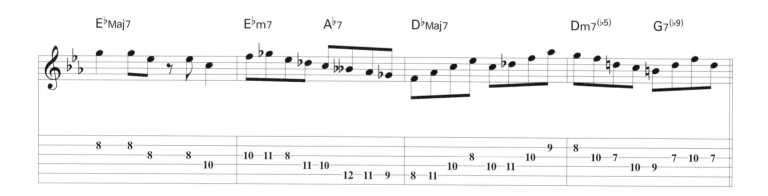

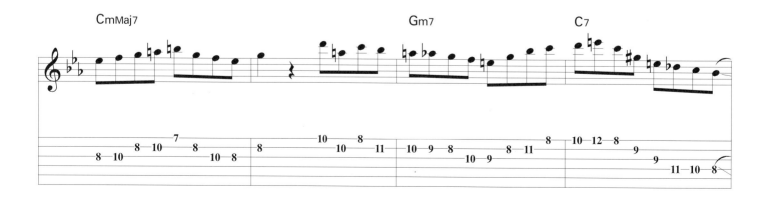

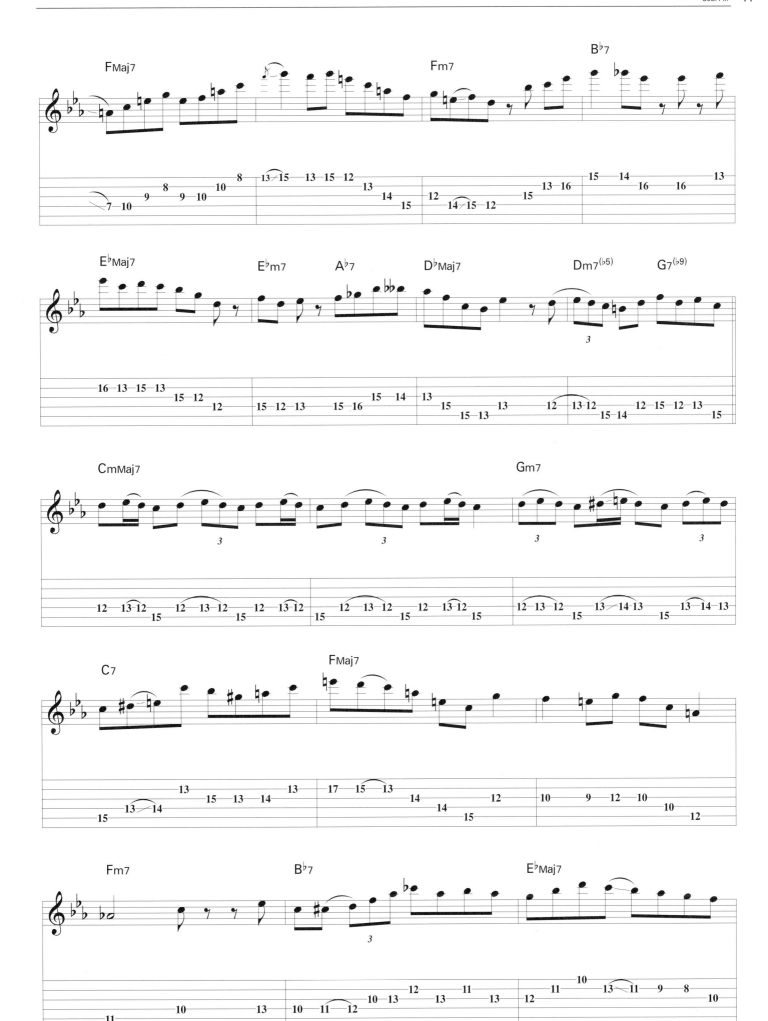

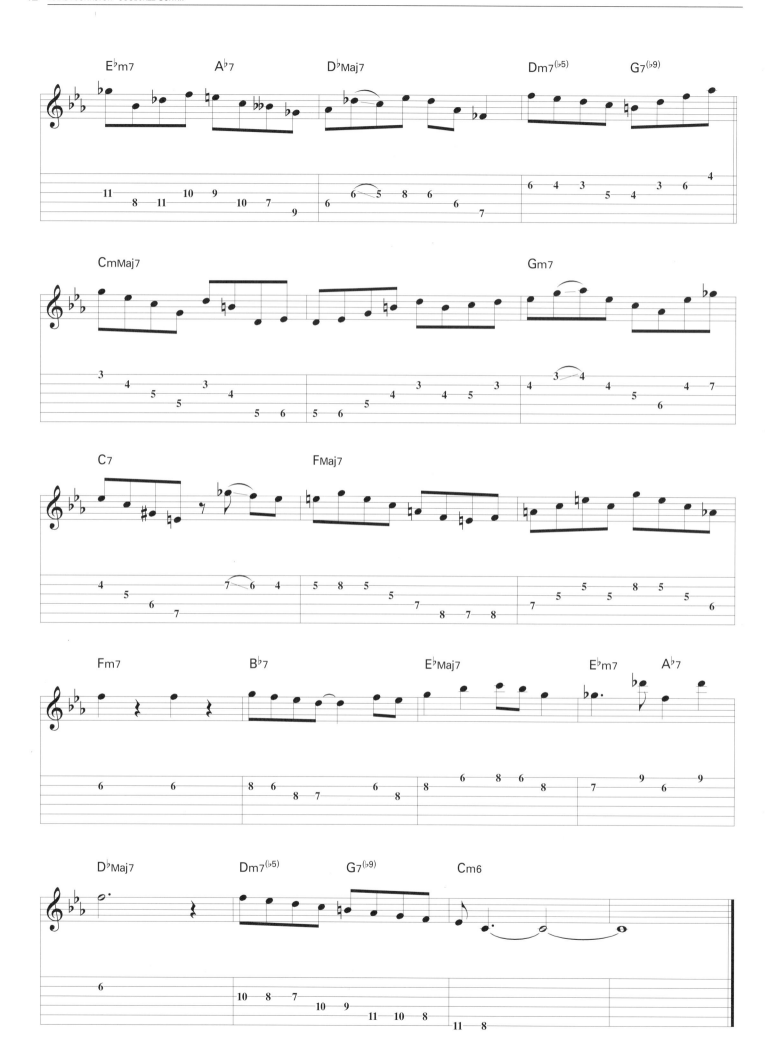

Speak High

Track 10

Latin

$\quad \downarrow = 190$

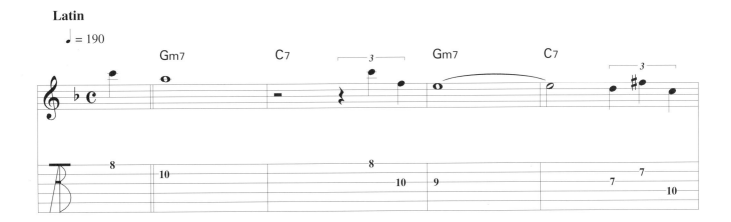

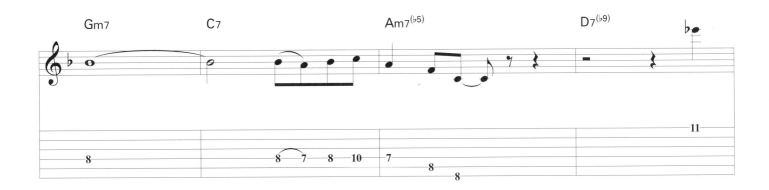

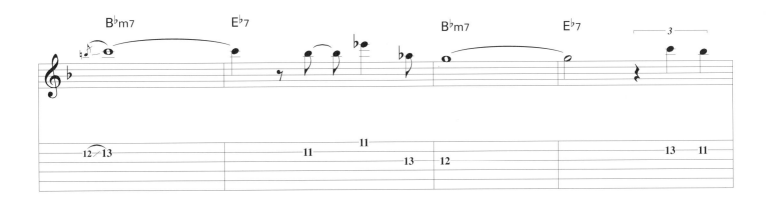

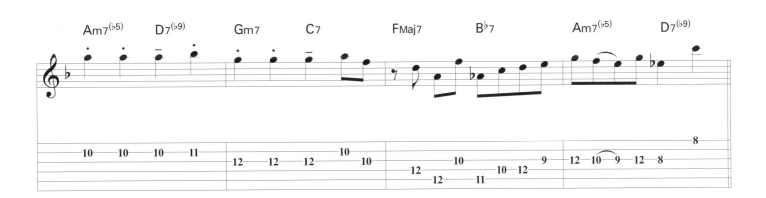

Latin

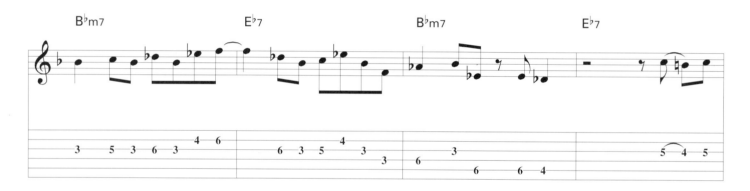

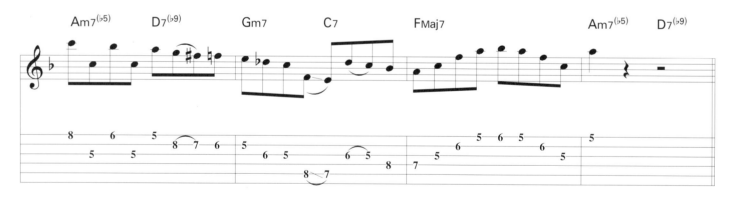

Latin

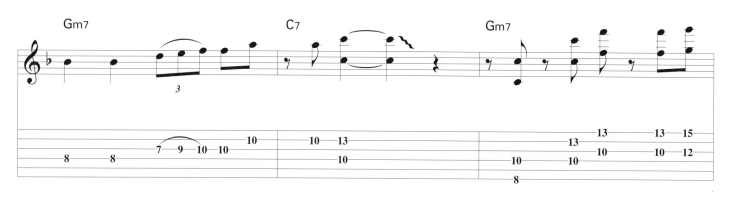

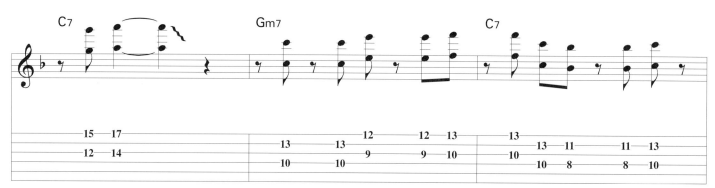

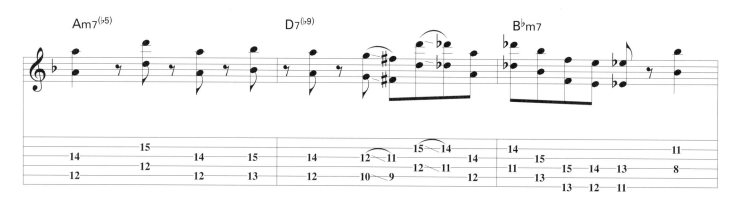

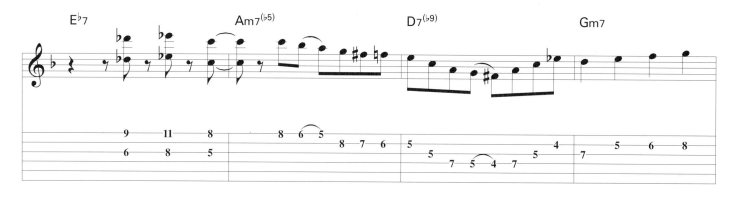

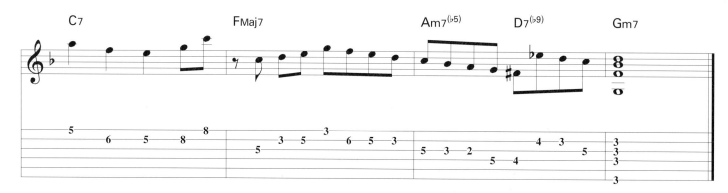

Tune Down

 Track 11

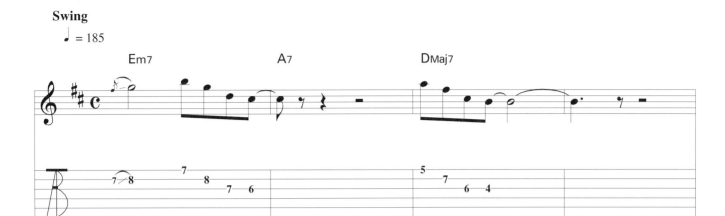

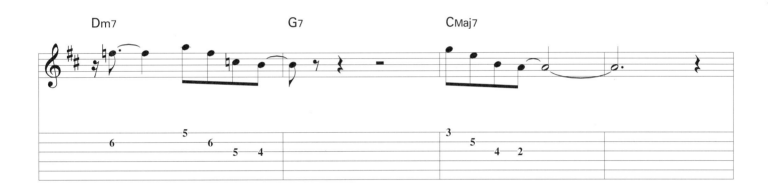

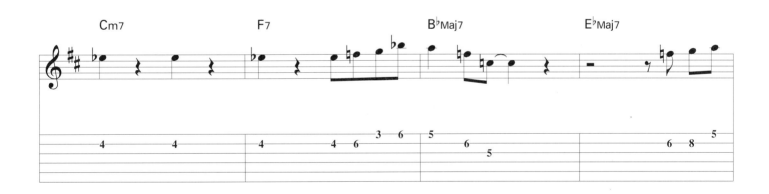

Down Time

 Track 12

Swing

♩ = 180

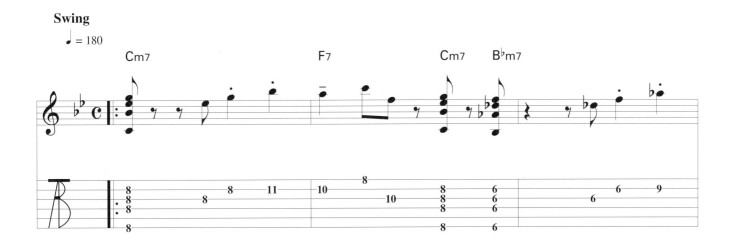

Slur 2nd time only

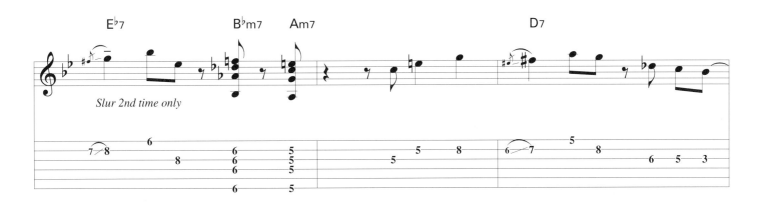

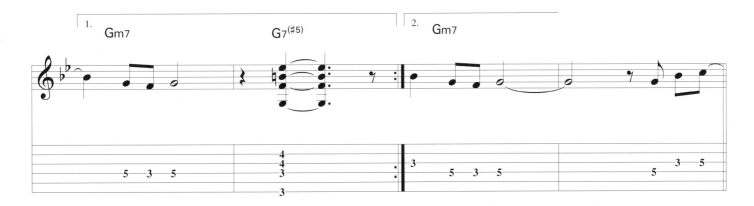

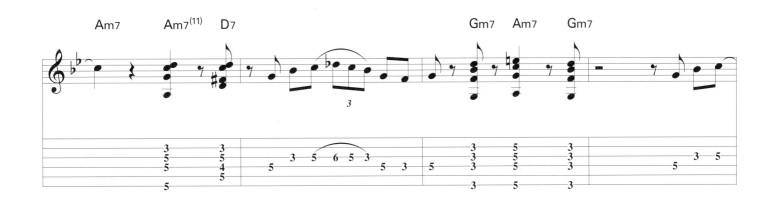

本シリーズは、*Jon Finn*、*Vic Juris*、*Steve Masakowski*、*Sid Jacobs*、*Mimi Fox*、*Ron Eschete*、*Barry Greene*、*Bruce Saunders*、*Mark Boling*、そしてジャズ・ラインの探求シリーズでおなじみ *Corey Christiansen* など、最高のプレイヤーやエデュケーターによって書かれた本とCDのセットです。

このコンセプト徹底活用シリーズは、初心者から上級者までのミュージシャンが、さまざまな特定のコンセプトを消化しやすい形で伝授するということを**可能**にしてくれました。

定価[本体2,500円＋税]

豊かなハーモニーを生み出す
ジャズ・イントロ＆エンディング《模範演奏CD付》
JAZZ INTROS AND ENDINGS　　*Ron Eschete* 著・演奏

ジャズ・イントロ＆エンディングは、さまざまなキーやスタイルの楽曲におけるイントロとエンディングを60例紹介しています。著者 *Ron Eschete* は *Ray Brown*、*Gene Harris, Ella Fitzgerald* をはじめとするビッグネームと共演するなど有名で、称賛されているギタリストです。ここでの豊かなハーモニーによるフレーズは、あなた自身のイントロやエンディングを生み出すうえで多くのすばらしいアイディアと理解をもたらすでしょう。譜面では5線譜に加えられたコード・ダイアグラムが学習の助けとなります。

定価[本体2,500円＋税]

ジャズ・コードとラインを活かすガイド・トーン
ザ・チェンジ《模範演奏CD付》
THE CHANGES: GUIDE TONES FOR JAZZ CHORDS, LINES & COMPING　　*Sid Jacobs* 著・演奏

ザ・チェンジ は、フレットボード上でガイド・トーンを視覚化(頭の中で、指の細かな動きまで、具体的に思い浮かべること)するノウハウを提供するもので、ビギナーから上級者まで利用できる効果的なアプローチです。**視覚化されたシェイ**プを元に、ソロでのラインや、コンピングやコード・メロディのためのヴォイシングを創りだすことができます。

シンプルなアプローチこそが常にベストです。ガイド・トーンはプレイを容易にするだけでなく、コード・プログレッションを心地よく耳に伝えます。またガイド・トーンを装飾することは、バロックからビバップ、さらにその先の音楽に至るまで、ミュージシャンたちがインプロヴィゼイションにおいてコード・チェンジを行う際にずっと用いてきた手法です。

定価[本体2,500円＋税]

センスある伴奏テクニックを学ぶ
コンピング・コンセプト《模範演奏CD付》
CREATIVE COMPING CONCEPTS FOR JAZZ GUITAR　　*Mark Boling* 著・演奏

コンピング・コンセプト は、6つのコード・プログレッションにおけるコンピング・ヴォキャブラリーを発展させることによって、この状況を改善することを目指します。本書で使われるコード・プログレッションのモデルは、ブルース、リズム・チェンジ、マイナー・ブルース、モーダル・チューン、そしていくつかのスタンダードといった、ジャズ・イディオムにおいてもっともよく使われるものです。焦点は、リズム、フレージング、コード・ヴォイシング、ヴォイス・リーディング、コード・サブスティテューション、そしてリハーモナイゼーションに対するコンテンポラリーなアプローチを発展させることにあてています。本書で紹介するコンピング・コンセプト、リズム、そしてフレーズは、たくさんのさまざまな音楽的状況において適用されます。一度ヴォキャブラリーを習得すれば、**適切な時に、それらが自然に自分の中から出てくる**ようになるでしょう。

定価[本体2,500円＋税]

一歩進んだインプロヴァイジング・コンセプト
ジャズ・ペンタトニック《模範演奏CD付》
JAZZ PENTATONICS / ADVANCED IMPROVISING CONCEPTS FOR GUITAR　　*Bruce Saunders* 著・演奏

本書ジャズ・ペンタトニックでは、典型的なギター学習者特有の要求に対応しながら、より活発なハーモニーの動きにおけるペンタトニック・スケールとその使用方法にアプローチすることを試みます。したがって、まずいくつかの基本的なインフォメーションを紹介してから、さまざまなハーモニーの状況における特定のペンタトニック・スケールの使い方を提示します。静止したハーモニー上のペンタトニック・スケールの使い方についても簡単に探求しますが、ギターをピアノ、サクソフォン、またはトランペットと同じ土俵に上げ、**ペンタトニック・スケールとコード・チェンジの関係を研究することが、本書の中心的なテーマ**です。

定価[本体2,500円＋税]

一歩進んだインプロヴィゼイションのためのアイディア
上級ジャズ・ギター・インプロヴィゼイション《模範演奏CD付》
ADVANCED JAZZ GUITAR IMPROVISATION　　*Barry Greene* 著・演奏

本書は中級から上級者のジャズ・ギタリストに向けて書かれています。コード・スケールとジャズ理論に関する、相応の知識をもっていることを前提としています。テーマとして、モード的な演奏、コード・サブスティテューション、ディミニッシュおよびメロディック・マイナー・スケール、そしてペンタトニックを取り上げます。

PRIVATE LESSONS

ブルース/ロック・インプロヴィゼイション《模範演奏CD付》
BLUES/ROCK IMPROV　*Jon Finn* 著・演奏

定価[本体2,500円+税]

本書ブルース/ロック・インプロヴィゼイションでは、ブルース/ロックのソロ演奏に関する基本を紹介します。具体的には、基本的なリズム・ギター・パート、基本的なブルース・プログレッション、ターンアラウンド、ソロ・エクササイズ、そしてソロの演奏例を学びます。付属CDに収録されている曲は、重要な技術と考えられるものを強調するように工夫されています。

すばらしいブルース/ロックのソロは、2つか3つの簡単なコード上で演奏される、いくつかのシンプルなペンタトニック・ロック・リックにすぎません。多くのギタリストたちが、**あまりにも単純**なので、**時間をかけて練習する必要はない**という大きな誤解をしてしまいます。より注意深く聴いてみると、多くのブルース/ロックのソロには、共通する傾向があります。技術的には簡単に演奏できるが、課題は、自分自身のアイディアをもち、スタイルの傾向に従って、それを正確に実践し、そしてリスナーが注目するに値する情熱を込めることです。**簡素と簡単は同じではないのです。**

ロック/フュージョン・インプロヴァイジング《模範演奏CD付》
ROCK/FUSION IMPROVISING　*Carl Filipiak* 著・演奏

定価[本体2,500円+税]

本書では、フュージョン特有の多くのコンセプトを取り上げ、解説します。これらのアイディアを自分の演奏に取り入れれば、プレイ・アロングCDに収録されている曲のみならず、その他のフュージョンやジャズの曲を演奏する上でも役に立つでしょう。

本書は、*Miles Davis*、*Mahavishunu Orchestrs*、*Weather Report*、*Tribal Teck*、*Mike Stern*、*Jeff Beck*など、ロックの要素を取り入れたスタイルを中心に書かれています。ロックやブルースの基礎に慣れていれば、ほとんどの譜例に適応できるはずです。ジャズに精通した人であれば、なおさら簡単に理解することができるでしょう。

ギターのための一歩進んだジャズ・ハーモニー
コルトレーン・チェンジ《模範演奏CD付》
COLTRANE CHANGES / APPLICATIONS OF ADVANCED JAZZ HARMONY FOR GUITAR　*Corey Christiansen* 著・演奏

定価[本体2,500円+税]

偉大なジャズ・インプロヴァイザー、ジョン・コルトレーンは1960年に発表したアルバムGiant Stepsによって、その後のリハーモニゼイションの世界に大きな影響を与えました。本書では、難解とされるコルトレーン・チェンジ（コルトレーンのリハーモニゼイション）を基礎から分析、解説し、スタンダードやブルースのコンピングやソロに応用する方法を学びます。現在では、このコルトレーン・チェンジもジャズ・インプロヴィゼイションの基本的な手法になっています。これを機に、この難題にチャレンジしてみましょう。

ギターのための高度なブルース・リハーモナイゼイションとメロディック・アイディア
モダン・ブルース《模範演奏CD付》
MODERN BLUES / ADVANCED BLUES REHARMONIZATIONS & MELODIC IDEAS FOR GUITAR　*Bruce Saunders* 著・演奏

定価[本体2,500円+税]

本書は、ブルース演奏におけるメロディックおよびハーモニックなヴォキャブラリーを発展させたい中級から上級のプレイヤーに最適です。ここではジャズで演奏されること多い、リハーモナイズされた12小節のブルースを取り上げ、チャーリー・パーカー、ジョン・コルトレーン、ジョー・ヘンダーソンなど、偉大なプレイヤーの手法を分析しています。付属のCDには模範演奏だけでなく、ドラム、アコースティック・ベース、ギターによる生演奏が収録。リズム・セクションと一緒に練習することができます。

ギターのための一歩進んだハーモニー
モダン・コード《模範演奏CD付》
MODERN CHORDS / ADVANCED HARMONY FOR GUITAR　*Vic Juris* 著・演奏

定価[本体2,500円+税]

練習、応用、作曲は、実用的なコード・ヴォキャブラリーを発展させるための鍵となる3つの要素です。そして、それこそが、本書のテーマです。新しいコードを発見することは、この上ない喜びです。しかし、そのコードをヴォキャブラリーに加えることは、また別の話です。新しい単語を学んだら、それを毎日の会話で使わなければ、すぐに忘れてしまうでしょう。すなわち、それが練習であり、応用です。さらに、その新しい単語を使って記事やEメールを書くとしましょう。それが、ここで意味する作曲なのです。

主な内容
ハーモニック・シラバス、トライアド、トライアドの応用、ヴォイス・リーディング、スプレッド・トライアド、ヴォイシングの観察、スプレッド・トライアドを使用した作曲、複合トライアド、複合トライアドを使用した作曲、ビッグ・ファイブ、基本的な7thコード、インターヴァリック・ストラクチャーとモーダル・コード

定価［本体4,300円＋税］

シングル・ラインの演奏を極める
ジャズ・ギター　ライン＆フレーズ《模範演奏CD付》
Complete Book of Jazz Guita Lines & Phrases
Sid Jacobs 著

私たちは模倣することによって、話し方を学びます。私たちは自分の考えを表現するために、すでに存在する言語を使います。すでに存在するイディオムからフレーズを用いて、連結させるという点において、インプロヴァイザーにとっても全く同じことが当てはまります。ラインを文章に、そしてインプロヴィゼイションを会話に置き換えれば、そのプロセスを理解しやすくなります。

単語をつなげてフレーズにしていると、その人が会話をするスタイルが形成されます。したがって、より多くのヴォキャブラリーをもっていれば、それだけ自分を表現する手段が備わっていることになります。それと同様に、プレイヤーの音楽的フレーズをつなげ方が、その人のインプロヴィゼイションのスタイルを形成し、そしてより多くのヴォキャブラリーをもっていれば、それだけ自分を表現する手段が備わっていることになるのです。ジャズ言語のイディオム的フレーズは、他の音楽のそれとは異なっています。本書では、譜例をとおして、ジャズのラインとフレーズを創るために使われるアイディアを解説します。

定価［本体3,000円＋税］

フィンガースタイル・ジャズ・ギター
ウォーキング・ベース・テクニック《模範演奏CD付》
Fingerstyle Jazz Guitar / Teaching Your Guitar to Walk
Paul Musso 著

ジョー・パス、タック・アンドレス、マーティン・テイラーをはじめとする、ソロ・ギターの名手の得意技、ウォーキング・ベース・テクニックをマスターする。

● ベース・ラインとコードをブレンドして、ひとり2役を演じる、
ジャズ・ギターのもっとも魅力的な奏法の基礎を学ぶ
● 初めてこの奏法にチャレンジする人にも、エクササイズを順に練習していくだけで、
自然に、また確実に習得できるようにプログラムされている
● 豊富なエクササイズと練習曲を、TAB譜とCDで楽しくマスター
● ジャズ・ギタリストでないあなたにも、効果的に応用できる

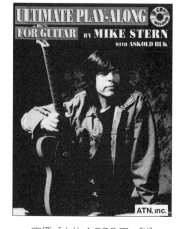

定価［本体4,300円＋税］

マイク・スターン 究極のセッション
《模範演奏＆プレイ・アロング2CD付》
Ultimate Play-Along for Guitar
Mike Stern 著　　演奏：*Mike Stern* (Guitar), *John Patitucci* (Bass), *Dave Weckl* (Drums)

いちばん良い練習方法は、**楽しみながら学ぶ**ことです。本書の目的は、まさにここにあります。すべての偉大なミュージシャンはレコードに合わせて演奏することで勉強してきました。本書**究極のセッション/マイク・スターン**を使用すれば、まるでバンドのメンバーの1人になったように、すばらしいレコーディングに合わせて練習することができます。すべての収録曲には、*Mike Stern*のギターを省いたプレイ・アロング・トラックを用意してあるからです。もちろん*Mike Stern*がプレイする**模範演奏トラック**も聴くことができます。

究極のセッション/マイク・スターンは、ビギナーから上級者にいたる幅広い層のプレイヤーが、*Mike Stern* (Guitar)、*John Patitucci* (Bass)、*Dave Weckl* (Drums)をはじめとするオールスター・ミュージシャンと一緒に、さまざまなスタイルを練習することができるように作られています(本書と同じ内容の**究極のセッション ベース編②**と**ドラムス編②**は、直輸入版・日本語翻訳解説書付で取扱中。詳しくはATNホームページにてお問い合わせください)。

本書には、2枚のCDが付属しています。Disc 1には、すべてのリズム・トラックに加えて、マイクのギターのメロディとソロが収録されており、Disc 2には、ギターを抜いたリズム・トラックのみが収録されています。

収録されている7曲には、さまざまなスタイルを幅広くカヴァーしています。
Straight Eighths、Shuffle (Blues)、Sixteenth-Note Feel、Hip-Hop (Jazz-Funk)、
Pop Ballad、Reggae、Rock

ジャズ・ギター／ブルース・ライン 《模範演奏2CD付》
JAMMIN' THE BLUES
Frank Vignola 著・演奏

ファンキー、ブルージー、バップなどのさまざまなスタイルのブルース進行を32曲タップリとCD 2枚に収録。各曲は、2種類のテンポで録音されているので、スロー・テンポを使えばビギナーでもタブ譜を見ながら確実にマスターできる。

定価［本体3,500円＋税］

ジャズ・ギター／リズム・チェンジ 《模範演奏2CD付》
RHYTHM CHANGES
Frank Vignola 著・演奏

ジャズにおいてブルース進行の次に最も多く使われるコード進行 (I-vi-ii-V) であるリズム・チェンジをさまざまなキーで30曲タップリとCD 2枚に収録。リズム・チェンジに慣れておけば、どんな進行の曲に遭遇しても戸惑うことなくプレイできるでしょう。

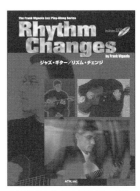

定価［本体3,500円＋税］

スタンダード進行で弾く ジャズ・ギター・ソロ 《模範演奏CD付》
JAZZ SOLOS / IMPROVISED SOLOS OVER STANDARD PROGRESSIONS
Frank Vignola 著・演奏

有名なジャズ・スタンダードのコード進行上でのインプロヴィゼイション・ソロための練習素材。付属のCDでは、著者 Frank Vignola によるギター・コンピングをバックグラウンドに、さまざまなスタイルのインプロヴァイジング・ソロの模範演奏を収録。

定価［本体2,800円＋税］

J. S. バッハ・フォー・エレクトリック・ギター 《模範演奏CD付》
J.S. BACH FOR ELECTRIC GUITAR
John Kiefer 著・演奏

J.S.バッハ それは現代に至ってもなお、ミュージシャンにとって無縁でいられない偉大な存在
すべてのギタリスト必携のバッハ名曲集

- バッハの芸術を体験し、演奏テクニック（ライト・ハンド、ピックと指のコンビネーション、右手と左手のコンビネーションなど）、イヤー・トレーニング、フレージングなどの効果的な練習ができる
- イングヴェイ・マルムスティーン、ランディ・ローズ、リッチー・ブラックモアなども学んだバッハを弾いて、作曲やインプロヴィゼイションのスキル・アップをしよう
- ギタリストにとって、バッハはとっておきの練習材料になる
- 全曲TAB譜付

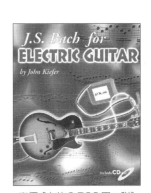

定価［本体2,500円＋税］

ホールトーン・スケールで弾く
ジャズ・ギター・リックス 《模範演奏CD付》
JAZZ GUITAR LICKS IN TABLATURE
Jay Umble 著・演奏

パット・マルティーノやスティーヴ・カーンも推薦する、本書ジャズ・ギター・リックスは、フレットボードに隠されたホールトーン・スケールの美しさを理解し、今までにないホールトーンのアイディアとその応用を紹介している。

- ドミナント7th(♭5)とドミナント7th(♯5)のコード上で弾くといった、ホールトーン・スケールの今までの使い方から抜け出るには、モダンなインプロヴァイズへのまったく新しい道へ心を開くこと。本書では、インプロヴィゼイションの幅を拡げるのに役立つホールトーンのコンセプトをタップリ収録。
- ホールトーン・スケールは、全音だけでなり立つスケールで、そのため、フレットボード上で探すことが容易にできる。しかし、実際は均一で密集しているので、ギターでホールトーン・パターンを弾くのは時どき混乱することがある。本書はそんな悩みを一気に解決してくれる。
- 本書の焦点は、フュージョン・スタイルのインプロヴィゼイションに基礎を置いている。また、これらのフレーズは、スタンダード・チューンによくマッチする。
- 1小節から2小節の短いフレーズから始め、それをつなぎ合わせてオリジナルのリックを創る。
- CDには、本書に掲載の162例を限界まで収録（75分）。リックの宝庫として十分に活用できる。

定価［本体3,000円＋税］

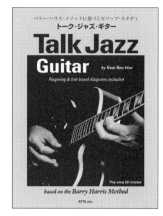

定価［本体 4,000 円＋税］

バリー・ハリス・メソッドに基づくビバップ・スタディ
トーク・ジャズ・ギター　《模範演奏/マイナス・ワンCD付》
Talk jazz Guitar

Roni Ben-Hur 著

向上心のあるミュージシャンにとって、最も大切なチャレンジのひとつは、何をどのように練習するのかを理解することです。よいジャズ・ミュージシャンになる道のりには多くのハードルがあり、そのハードルを克服する方法を注意深く選ばなければなりません。

本書は、ビバップ・スタディにおける包括的なテキストで、ジャズ・インプロヴィゼイションの主要なツールとして、詳細な説明がなされています。本書には、あなたのテクニック、楽器の理解、ジャズ・メロディに対するフィーリングを向上するための、発展的な教材がたくさん含まれています。イン・テンポで練習すれば、リズム感がよりよく改善されるでしょう。ここにはすばらしいマテリアルが掲載され、そのすべては生きたジャズ・フレーズを基にしています。また、本書のどのパートも、ソロ・パートとして活用できます。

すべてのスタディにはフィンガリングとフレッドボード・ダイアグラムが掲載されています。また、付属の15トラックには、著者である *Roni Ben-Hur* と、NYで最もすばらしいリズム・セクションの1つである、*Tardo Hammer* (piano)、*Earl May* (bass)、*Leory Williams* (drums)の演奏が収録されています。本書の課題をマスターするための、力強いツールとなることでしょう。

付属CDを聴き、彼らの演奏をよく理解し、その後でCDと一緒に練習しましょう。CDではギター・チャンネルを絞って、リズム・セクションだけで練習することもできます。

本書の主な内容
メジャー、およびドミナント7th スケールのハーフ・ステップのルール　　アルペジオ・スタディ
メジャー、およびマイナー・アルペジオのサラウンド・ノート　　ディミニッシュ・コード
メジャーとマイナーの6th コードのサラウンド・ノート　　メジャーとマイナー6th ディミニッシュ・スケール
ドミナント7th スケール　　オーグメント・コードとホールトーン・スケール
ディミニッシュ・コードを使ったI6／II7／V7 ターンアラウンド　　メジャーとマイナーのアルペジオとその転回形

定価［本体 3,500 円＋税］

幅広いヴォキャブラリーをめざす
モダン・ジャズ・ギター・スタイル　《模範演奏CD付》
Modern Jazz Guitar Styles

André Bush 著

本書は、現代のジャズ・ギターにおける、ソロ・テクニック、コード・プレイング、リズミック・セオリー、それらの実用的な適用方法を探究しています。近年の有名なジャズ・ギタリスト、およびコンポーザーを取り上げ、伝統的なジャズの語法以外からどれほどさまざまなスタイルが彼らの作品に見られるかを研究します。

すべてのチャプターと課題には、特定のアーティストと、ある特定のテクニックやエフェクトの実例が多数織り込まれており、彼らのアルバムを聴く上での指針となるでしょう。また、すべてのチャプターで取り上げられる課題は、発生した起源やその歴史的背景を説明した短いエッセイで始まっているので、あなたがその課題を理解するためのよい手引きとなります。

付属CDにはそれぞれのエクササイズの例が収録され、本書を学ぶ上で非常に効果的です。

本書の主な内容
スケール、およびシングル・ノートのソロ　　シングル・ノートを使ったソロにおけるアプローチの探究
インターヴァルの選択　　ピッキング・テクニックとアーティキュレーション
モダン・コード・ヴォイシングへのアプローチ　　ヴォイス・リーディングの発展
クォータル・ハーモニー、クラスター・ヴォイシング、モダンな代理　他

デイヴ・ストライカー
ジャズ・ギター・インプロヴィゼイション・メソッド

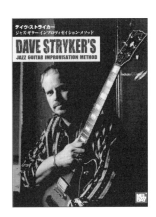

Dave Stryker 著・演奏

《模範演奏＆プレイ・アロング CD ／タブ譜付》

Grant Green、*Wes Montgomery*、*Pat Martino*、*George Benson*、*Jim Hall*、*Joe Pass* など、ジャズ・ギターの巨匠たちに影響を受けた、ニューヨークを中心に活躍するジャズ・ギタリスト *Dave Stryker* によるインプロヴィゼイションのためのジャズ・ギター・メソッドです。

本書の内容は、ここ数年間 *Dave Stryker* が自らのレッスンで用いている方法で、彼の生徒たちがジャズを演奏するときにインプロヴィゼイションのアイディアを発展させるための助けとなっています。各アイディアを、ブルース、Autumn Leaves、リズム・チェンジなどのスタンダードなコード・チェンジ上でどのように用いるかを解説し、実践しています。

本書に収録されているフレーズやソロ・アイデイアは、すべて *Dave* 自身のフィンガリングが指定されています。これによって、彼がそれぞれのコードに対してどのようなフィンガリングをしているか、またポジション移動はどのように行っているかがよく分かり、コード・トーンへのアプローチなどが視覚的に理解できます。

本書は、他の本に書かれているようなスケール／アルペジオ練習のような内容は最小限に留め、*Dave* のウォームアップ・フレーズやバップ・フレーズ、Giant Steps などの難曲を使った例題も収録されています。ビバップを中心に学びたいギタリストには特にお勧めです！

［本体 3,300 円＋税］

ヴィック・ジュリス　インサイド／アウトサイド

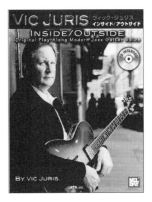

《模範演奏＆プレイ・アロング CD ／タブ譜付》

Vic Juris 著・演奏

本書は、*David Liebman* のグループでも活躍したギタリストで、ギター・プライヴェート・レッスン・シリーズの「ギターのための一歩進んだハーモニー **モダン・コード**」の著者でもある *Vic Juris* によるソロ・トランスクリプションです。

収録された曲はすべて、人気のあるジャズ・スタンダードのコード・チェンジに基づいています。また、*Vic* は、学習者を念頭においてソロを弾いているので、ジャズ・インプロヴィゼイションやテクニックを学ぶためのエチュードとしても有効です。

学習者は、本書を注意深く学ぶことで、ソロの組み立て方、テンションとリリース（アウトサイドとインサイド）の演奏、高度なジャズ・ヴォキャブラリーの構築、モティーフの展開などを理解することができます。また、ソロを丸ごと覚えるだけでなく、好きなフレーズを部分的に抜き出し、すべてのキーに移調し、他の曲に応用できます。

付属の CD には、各曲に 2 トラックずつ収録されており、1 つは本書の楽譜どおりに弾いた *Vic* のソロとリズム・セクション、もう 1 つはリズム・セクションのみです。まず、*Vic* のソロに合わせ演奏し、フレージングとアーティキュレイションを学びます。次に、リズム・セクションのみのトラックを使って、*Vic* のソロを再現します。それから、*Vic* のソロを参考に、自分自身のソロに挑戦します。中級レヴェル以上で、コンテンポラリー・スタイルのジャズ・ギターに興味のある方にお勧めです。

［本体 3,300 円＋税］

通信販売商品

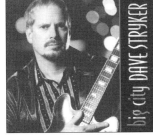

CD
DAVE STRYKER
big city

Big City
All Night Long
Feelin' Good
Every Time We Say Goodbye
It Was a Very Good Year

If Ever I Would Leave You
Biddy Fleet

CD
VIC JURIS
A SECOND LOOK

A Second Look
Barney K.
So in Love
All The Things You Are
Shades of Jazz

Very Early
Little Brian
Table for One
Dizzy, Trane and You
Indian Summer

コンテンポラリー・ジャズ・ギターのサウンドを探る

カート・ローゼンウィンケル オリジナル曲集

Kurt Rosenwinkel 著・演奏　　　　　　　　　　《リード・シート＆タブ譜付》

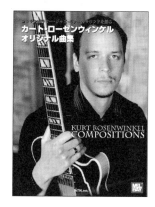

本書は、作曲と演奏の両面で独自のスタイルを築き上げ、現在のジャズ・ギター界を代表するプレイヤーへと成長した*Kurt Rosenwinkel* のオリジナル曲集です。

ここ15年間に発表された*Kurt* のアルバムから、14曲分のリード・シートを収録し、そのうち最新作のDeep Song から選ばれた7曲では、タブ譜つきのソロ・トランスクリプションも収録されています。

コンポジション、コード・ヴォイシング、インプロヴィゼイションなどにおける*Kurt* ならではのエッセンスが満載です。*Kurt* ファンならずとも、コンテンポラリー・ジャズに興味がある、またはビバップ以降のサウンドを研究したいプレイヤー必読の1冊です。

［本体3,300円＋税］

収録曲

Deep Song より
brooklyn sometimes
cake
the cloister
the cross
gesture
synthetics
use of light

The Next Step より
a shifting design
minor bluse
zhivago
path of the heart

The Enemies of Energy より
cubism

East Coast Love Affair より
east coast love affair

Heartcore より
our secret world

翻　訳：石井 貴之

神田外語大学在学中より、ギター・インストラクター、ジャズ・クラブでの演奏、ポップス、ロックバンドでのレコーディングを経験し、卒業後の97年に渡米。ボストンのバークリー音楽大学、ニューイングランド音楽院にて、ウェイン・クランツ(g)、マリア・シュナイダー(作・編曲)、タイガー大越(tp)、ボブ・ブルックマイヤー(tb,err)などに師事。現在、ニューヨークを中心に活躍する*Lage Lund* (g)、*Jeremy Pelt* (tp)、*Jaleel Shaw* (as)などとセッションを重ねる。

帰国後は、関東を中心にジャズ・クラブ、ジャズ・フェスティバルにて演奏活動。その間、TOKU (tp, vo / SONY Jazz)、小沼ようすけ(g / SONY Jazz)、チャリート(Vo)などと共演。また、餓鬼レンジャー(Victor Entertainment)、YKZ (SONY Record)、平 絵里香(vo) などのレコーディング、ツアーに参加。現在は自己のジャズ・トリオや、バンドPoco Piu Mosso (クラブ・ジャズ) の他、スタジオ・レコーディング、アレンジャーなどの活動もしている。また、ATN のジャズのスーパー・ヴァイザーとして、教則本の翻訳、選定などジャズ教育の向上に力を注いでいる。

ATN, inc.

発　行　日　2007年11月20日（初版）

ランディ・ジョンストン
ソウル・ジャズ・ギター

Randy Johnston
Soul Jazz Guitar

著　　　者　Randy Johnston
翻　　　訳　石井 貴之
版 下 制 作　早川 敦雄
発行・発売　株式会社 エー・ティー・エヌ
住　　　所　〒161-0033
　　　　　　東京都新宿区下落合 3-12-21 目白エミネンス 102
　　　　　　TEL 03-6908-3692 / FAX 03-6908-3694
ホーム・ページ　http://www.atn-inc.jp

3548

＊万一、乱丁・落丁がありました時は、当社にてお取り換えいたします。©無断複製・転載を禁じます。

ISBN978-4-7549-3548-1